folio cadet ▪ pren

Traduction d'Anne Krief
Maquette : Claire Poisson
ISBN : 978-2-07-069683-3
Titre original : *S.W.A.L.K.*
Publié pour la première fois par Andersen
Press Ltd., Londres © Colin McNaughton
2002, pour le texte et les illustrations
© Gallimard Jeunesse 2002, pour la traduction
française, 2011, pour la présente édition
N° d'édition : 179168 - Dépôt légal : février 2011
Loi n° 49-956 du 16 juillet 1949
sur les publications destinées à la jeunesse
Imprimé en France par I.M.E.

S.M.A.C.K.

Colin McNaughton

GALLIMARD JEUNESSE

Un beau matin, juste après le lever du soleil, Samson fut réveillé en sursaut par un grand brouhaha dans le jardin. Le papa de Samson et Pâté Marconi, le facteur, chantaient en dansant la sarabande :

– Samson a une amoureuse !
Samson a une amoureuse !

La maman de Samson leur dit d'arrêter de faire les sots et remit une lettre à Samson.

- C'est la petite fille que tu as rencontrée au bord de la mer, annonça la maman de Samson.

- Rose! s'écria Samson. Comment le sais-tu?

- Par le cachet de la poste, répondit la maman de Samson, et... parce qu'il y a écrit «S.M.A.C.K.» au dos de l'enveloppe.

- S.M.A.C.K.? s'étonna Samson.

- Signé de ma Main Avec des Câlins par Kilos, expliqua la maman de Samson.

- Oh... fit Samson.

Samson ouvrit la lettre et lut :

Coucou, cher Samson !
Depuis que tu es parti,
je m'ennuie beaucoup
au bord de la mer, car je n'ai
plus personne avec qui jouer.
C'est tous les
jours la même
chose : le sable,
le soleil
et la mer.

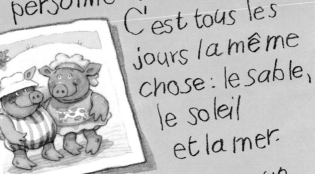

Tu me manques beaucoup,
beaucoup, beaucoup !
Pourrais-tu m'écrire pour me
raconter ce que tu deviens ?

Raconte-moi ce que tu fais de tes journées, parle-moi de tes amis, et tout et tout.

Je t'envoie quelques photos que mon père a faites.

Embrasse de ma part ta maman et ton papa.

Gros bisous, Rose. ♥ ♥ ♥

Samson prit un crayon et une feuille de papier et se mit à écrire...

Coucou, chère Rose,
Merci pour ta lettre. Tu veux vraiment que je te parle de moi ? Dacco-dac, c'est parti !

10

Ma maman est très gentille, mais elle me fait trop de câlins.

Mon papa adore jardiner et faire des farces.

Ma maman travaille à la cantine et mon papa est charpentier.

Tous les matins, je me lève,

je me lave,

je m'habille,

je mange,

et je pars à l'école.

Pour aller à l'école, je traverse la forêt
et j'écoute les petits oiseaux chanter.

4

À l'école, j'ai des tas de copains. Nous adorons jouer au foot et lire des livres.

Notre institutrice s'appelle mademoiselle Tric; elle me gronde souvent.

Elle est très gentille, mais elle nous fait beaucoup trop travailler.

Parfois, nous faisons de la musique.

Parfois, nous faisons des maths.

Parfois, nous écrivons des histoires,

et, parfois, nous faisons des dessins.

Le déjeuner est le moment que je
préfère parce que c'est ma maman qui
s'occupe de la cantine !

Mais, la plupart du temps, je reste assis
à ma table et je rêvasse.

5

Après l'école, je vais quelquefois au parc, mais pas très souvent parce qu'il y a Arthur le Dur.

Parfois, je vais faire les courses
pour ma maman.

Parfois, je vais aider mon père à l'atelier.

Parfois, je vais voir ma mère-grand.
Elle a presque un million d'années et elle
n'est pas très vaillante.

Et le soir, au coucher, mon papa ou
ma maman me lit une histoire.

Bon, j'ai assez parlé de moi. Comme tu peux t'en apercevoir, il ne se passe pas grand-chose par ici. Il faut que je m'arrête si je veux que ma lettre parte ce soir. Réponds-moi vite, s'il te plaît.

Je t'embrasse.

 (Trois bises... où ? – Hi ! hi ! hi !)

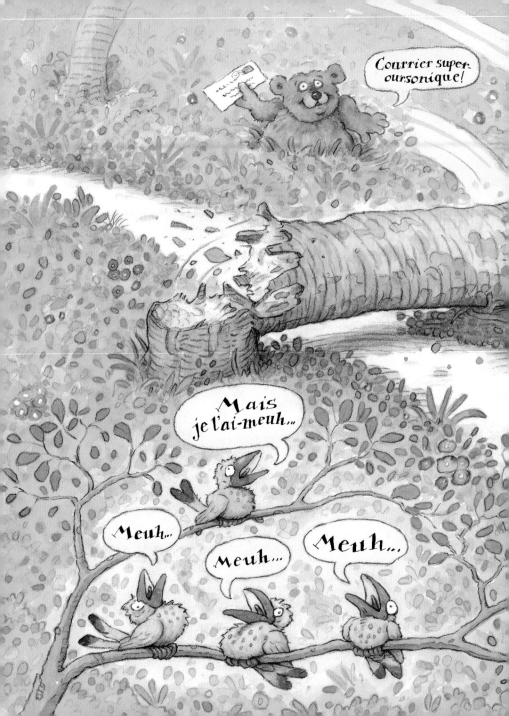

→ je commence à lire

Pour les jeunes apprentis lecteurs
Niveau 1

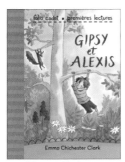

n° 1 *Armeline Fourchedrue*
par Quentin Blake

n° 4 *Gipsy et Alexis*
par Emma Chichester Clark

n° 20 *Crapaud*
par Ruth Brown

n° 24 *Je ne veux pas
aller au lit!*
par Tony Ross

n° 25 *Bonne nuit, petit
dinosaure!* par Jane Yolen
et Mark Teague

n° 27 *Meg et la momie*
par Helen Nicoll
et Jan Pieńkowski

n° 28 *But!*
par Colin McNaughton

n° 37 *Grand-Mère Loup,
y es-tu?*
par Ken Brown